Les GNANGNAN

CLAIRE BRETÉCHER

PUBLIÉS PAR L'AUTEUR

LES FRUSTRÉS
(CINQ ALBUMS)

LES MÈRES

LE CORDON INFERNAL

LES AMOURS ÉCOLOGIQUES
DU BOLOT OCCIDENTAL

AUX ÉDITIONS GLÉNAT

LES GNANGNAN

BARATINE ET MOLGAGA

LES NAUFRAGÉS
EN COLLABORATION AVEC RAÔUL CAUVIN

AUX ÉDITIONS DARGAUD

LES ANGOISSES DE CELLULITE

LES ÉTATS D'ÂME DE CELLULITE
(DEUX ALBUMS)

AUX ÉDITIONS DENOËL

PORTRAITS

CLAIRE BRETÉCHER

LES GNANGNAN

Adaptation graphique de Sylvie MOCAER.

GNAAA
GNAAA
WAAA
WAAA
WEUEU EU
WEUEU EU

GNÎÎÎÎÎÎ
GNÎÎÎÎÎÎ
BHEU EU
GNAAA
?!

claire bretécher

non, je ne joue pas avec une fille !

c'est dommage, parce que j'aurais pu faire la garde-barrière, et un jour...

... j'aurais oublié de fermer la barrière et le train aurait tamponné le car VLAM CRAAAC

et le car ferait trois tonneaux dans le ravin comme ça...

DZOOM DZIM DZOUM

mais toi, tu serais le mécanicien du train, et gardant ton sang-froid, tu freinerais à mort...

comme ça iiiiiiiiiii
et alors CRASH et RRRRAM BOM SRATCH FLOTCH et MOP
d'accord, on joue
heu...
j'ai plus envie !
claire bretécher

ouh ! mais nous devenons une grande fille !
et qu'est-ce qu'on dit à madame Minot ?
allons allons !
on dit : "bonjour, madame Minot"

si tu dis bien bonjour...
madame Minot va te donner un gros bonbon.
bonjour, madame Minot.
faut avoir faim !

peut-on taper sur une fille?
non! on ne doit jamais taper sur une fille!
sur un garçon on peut?
oh non jamais, jamais!
sur un oncle?
jamais jamais jamais!

Claire Bretécher

je parie que tu ne sais même pas la capitale de l'Australie
si
non
si
dis-le
ça ne te regarde pas
tu le sais pas tra la la
si

alors dis-le
Berlin
ça va! je voulais seulement voir si tu le savais
claire bretécher

regarde ce qu'il sait faire

hop

oui mais moi je le fais d'une seule main

oui mais moi je le fais aussi sans les mains...

lui aussi

→

oui mais moi je le fais sans la tête

pas lui

incapable
claire bretécher

si on jouait au père et à la mère ?
oh oui !
c'est le père qui décide ce qu'on va faire !
bon

→

on prendrait la mustang et on irait en week-end
non non ! on prendrait le thé dans le salon
slurp que ce thé est bon Georges !
oui, slurp, et après on irait voir le match de...
non non non, on irait faire les soldes dans les magasins
bon_mais après on...

attends ! il faut que je fasse des essayages !
ben qu'est-ce qu'il y a Georges ?
je veux être la mère !

Claire Bretécher

mon père il a une piscine !
et mon père il a une ferrari !
et il a un ranch mon père !
et il a douze secrétaires

et il a un idiot de fils ton père !
non !
j'ai pas de frère !
Claire Bretécher

alors on serait des cow-boys
moi je serais les bons et toi les lâches
ou encore moi les bons et toi les lâches
tout compte fait il vaut mieux que je sois les bons

toi les bons ?
mm !
pas ques tion !
qui est les bons ?
Oui
DONG

GRAT
GRAT
TRUMF
Ce qu'il y a de bien entre amies c'est qu'on peut tout se dire !
Claire Bretécher

tu enlèves une écharde ?
oui

j'ai connu une dame qui avait une écharde

et son doigt est devenu... non, je ne dois pas te dire ça...

et après son bras a... mais tu le sauras bien assez tôt...

n'attristons pas les derniers jours d'un grand malade
manman !!
qu'est-ce qu'il a ?
une écharde !
claire bretécher

hé !
toi, je ne t'ai pas sonné
quoi ?
je ne t'ai pas sonné
ah non ?

non !

non ?

non !

bon !

Claire Bretécher

raté! pauvre type! lamentable! laid!

tu ne le répéterais pas...

ha ha!

alors répète

parfaitement

répète
ouais
alors
euh
euh

→

me rappelle plus...
bon ! laissons tomber
C'était : raté, pauvre type, lamentable, laid.
claire bretécher

tiens!
CLING
un bouton!
PASSEZ PIETONS
un bouton, c'est toujours un bouton, hein ?

hé ! un autre bouton !

mémé dit qu'un bouton et un bouton, ça fait deux boutons !

c'est le jour des boutons !

Claire Bretécher

agreu agreu !

bolob bolob bolob !

poum padada

guili guili guili guili pfffou !

eh ben ! eh ben !

plouts.

→

allez, fini !!... aba aba !!
ffff
C'est mignon à cet âge-là, mais quel esclavage !
Claire Bretécher

c'est un merle des Indes; il sait parler.

mais mémé lui met une museliere parce que ...

il dit des gros mots.

non?
si!
¡mais j'ai pas le droit d'y toucher!

moi j'ai pas le droit!

veuillez
agréer, Madame,
l'expression de
ma considération
distinguée...

Claire Bretécher

si elle croit que je vais lui céder ma place, celle-là !
elle n'a pas quatre-vingt-dix ans, non ?
d'ailleurs, je suis fatigué ; j'ai fait du sport, moi !
je vois bien qu'elle est furieuse, mais je m'en fiche pas mal !

je ne fais même pas attention à elle d'abord!
tout le monde peut voir que je pense tout à fait à autre chose!
Claire Bretécher

et si on faisait de la télépathie
?
on se concentre, tu penses, et je dois penser à ce que tu penses. Compris?
je pense
bon, alors on se concentre

stop !
tu as pensé : est-ce qu'il va deviner que je pense que je me demande s'il va deviner ce que je pense
ex-ac-te-ment !
On est télépathes !

il paraît que tu es en retard pour parler ?
voyons ! dis "papa"
rreuh
pas brillant, hein ! c'est pourtant la base !!
et "maman" ? tu saurais dire "maman" ?

dadada
oh lā lā! oh lā lā! oh lā lā!
essayons encore !... voyons... "chienchien"... essaie de dire : "chienchien"
j'avoue ne pas avoir encore maitrisé les diphtongues
ben oui, quoi !... t'es en retard !
20
claire bretécher

tu es là vautré ! et ton lit n'est même pas fait !
et tes souliers ne sont pas cirés ! je vais le dire à manman !
et tes ongles ? tu as vu tes ongles ? dégoûtant !

d'ailleurs, je t'ai vu tirer la langue à madame Mihot, ce matin à l'épicerie !
Et ça, je vais le dire ! je vais le dire !
tout ça sera dit..!!!

Claire Bretécher

qu'est-ce que c'est que ça ?!

du yoga !

pour quoi faire ?
pour atteindre le nirvâna

le quoi ?
le détachement suprême...
détachement de quoi ?
des biens de ce monde...
ah !... et ça avance ?
ouaip !

je suis presque entièrement détaché.

bien !
19

alors je vais t'emprunter ton vélo !
Claire Bretécher

écoute, je vais faire le moteur.

brmmm
brmmm
vrreueuhh

je peux aussi faire le train.

tchoupoutchou
tchoupoutchou
tchoupoutchou

ou la scie :
hhhin hin
hhhin hin
hhhin hin

Claire Bretécher

bâââ! je déteste les bacs à sable!
ce qu'on peut s'embêter dans un bac à sable!

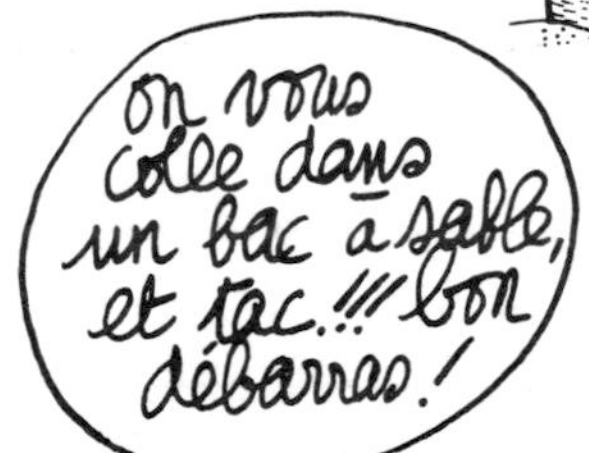
on vous colle dans un bac à sable, et tac!!! bon débarras!

j'ai bonne mine, moi, là-dedans!

évidemment, elle préfère rester à côté, elle!

j'je voudrais l'y voir dans un bac à sable, mémé, moi!

→

au fond, la seule chose valable dans un bac à sable...

...c'est le sable!
Claire Bretécher

vvreuh vvreuh vreuh !
BEURRE DE BRETAGNE
ha ha !
BEURRE DE BRETAGNE
tu crois peut-être que ça ressemble à une voiture ?
BEURRE DE BRETAGNE

tu crois que ça ne se voit pas que c'est une caisse en carton ?
BEURRE DE BRETAGNE
et ça, c'est un volant, hein ?
BEURRE DE BRETAGNE
une vieille roue de tricycle !
BEURRE DE BRETAGNE

et il n'y a même pas de roues ha ha!
BEURRE DE BRETAGNE
ha ha!
BEURRE DE BRETAGNE
tu as déjà vu des roues sur un Concorde en vol, imbécile?
BEURRE DE BRETAGNE
Claire Bretécher

tiens ! un nouveau !
tu vas voir comment je les traite, moi, les nouveaux.
hé minus !
Comment t'appelles-tu patate ?
ouais.

Claire Bretécher

salut, Gondulf !
salut, Gerprude !
pas drôle, la rentrée, hein !
tais-toi !

l'odeur d'un cahier neuf me rend malade, si tu veux le savoir !
ça me fait vomir !

j'ai une trousse neuve en skaï rouge et bleu... quelle pitié !!
bââ

tu as vu mon nouveau sac en peau de mouflon surpiquée ?
dé-primant !

salut, Prudent !
salut salut !
salut !

pénible, cette rentrée, non ?
ne prononce pas ce mot devant moi !

ah ! les parents ne savent pas ce que c'est, eux, la rentrée !

les pauvres !

Claire Bretécher

raconte-moi une histoire, mémé.

il était une fois...

bââââ
un petit chaperon au bois dormant qui portait une galette et une cherbillette cherra

→

alors Alice au pays des sept nains
bââââ

bon.

les vénusiens attaquent

alors Molnik le Naphteux remonta dans la spirale aluminiumminoïde
et disparut à jamais dans le cosmos
j'aime les belles histoires vraies !
Claire Bretécher

et celui-là, tu le connais ?
nan !
et ça
nan !
on sait ça dès le jardin d'enfants, écoute plutôt :

t'as compris?
mmm
quel menteur!
ceeee
forcément ce n'est pas au programme du cours élémentaire!
claire bretécher

CENSURÉ
?!
très bien !
je ne te
parle
plus !

je ne te parle plus compris !

je ne te parle plus ! ... sourde ?

→

je ne te parle plus je ne t'adresse plus la parole plus une syllabe plus un mot couic motus je n'ouvre plus la bouche terminé je me tais bla bla bla bla
Vous disiez ?
Claire Bretécher

beuaaa
beueueu
pourquoi est-ce que tu pleures?
je ne pleure pas!
ah!

gnééé
je croyais!
euaaa
bon!
bououou

claire bretécher

tu n'as pas idée de ce que ce chat est intelligent !

il va chercher lui-même sa pâtée dans le réfrigérateur !

il la verse dans une casserole, tu vois !...

non ?
si ! après il touille !...

il met du sel et de l'estragon !

non ?

si !

c'est simple! il ne lui manque que la parole!

quel cinéma!

Claire Bretécher

eh ho eh !
il paraît que tu as dit que j'étais moche et mal ficelée ?
euh... je...
justement mémé m'a dit qu'il ne faut pas faire attention aux ragots...
euh...

car la bave blanche de la colombe n'atteint pas le crapaud.
ah!
mais elle glisse sur le parapluie de son indifférence.
mémé dit que d'ailleurs il faut pardonner à ses ennemis!

ah oui ?
oui!
FLAP
Je ne suis pas d'accord avec mémé !
claire bretécher

eh !
quoi ?
un cheveu blanc !
aïe !
CRAC
un cheveu blanc, moi ?
ben, regarde !

un cheveu blanc, moi ?
oui ! ça ne nous rajeunit pas !
un cheveu blanc, moi ?
j'aurais encore mieux fait de me taire !
un cheveu blanc, moi ?
oh ! ça va !

un cheveu blanc, moi ?
tu vas arrêter de faire l'idiote ?

ho ! eh ! ho !

On ne parle pas sur ce ton a un adulte !

Claire Bretécher

oui, on se pique le doigt, et après on est à la vie à la mort.

euh.
donne-moi ton doigt.
mon doigt?
oui, ton doigt!

tu veux me piquer le doigt?
tu ne veux pas faire le mélange des sangs ?
dire que je te croyais mon amie !
Claire Bretécher

Pan ! tu es mort !

?

mon tonton dit qu'il ne faut pas donner de jouets guerriers aux enfants !

il dit que c'est développer chez eux le culte de la violence !
il dit que les enfants deviennent de petites brutes et ils glissent sur...
...une pente et ils sont incapables de se dominer, et tout, et tout

voilà ce que dit mon tonton !
il est zinzin, ton tonton !

CLOPS
claire bretécher

Nouh je suis moche hein ?
Pas vrai !
Si si regarde ! j'ai un moche nez !
Non !

→

Je te dis que si ! et j'ai les cheveux gras !
non !
si ! et d'ailleurs je suis grosse beuh !
non !

je ne suis pas grosse ?
mais non !
si monsieur ! je suis grosse je suis grosse et je suis grosse !!
bon !

bouhou
mais c'était pour te faire plaisir !
snfff
Claire Bretécher

j'ai eu une rougeole très grave
j'ai eu l'appendicite
j'ai eu les oreillons
oui, mais, moi on m'a enlevé les amygdales!... ah!...
et ma verrue plantaire?
eh ben, et mon otite!

et moi la scarlatine

moi aussi, mais en plus grave.

et ma rubéole avec les complications?

j'ai une accoustique chronique.

c'est contagieux ?
non !
Claire Bretécher

Ca y est! j'ai gagné au concours.

J'ai gagné, j'ai gagné! ils ont dit mon nom à la radio!

C'est le grand concours de la lessive Pex! le premier prix est une fusée lunaire!

le deuxième prix : un avion Concorde, après il y a le paquebot "France"!
non?
une île dans la mer des Caraïbes! une piscine olympique!
non?
un autographe de Johnny! un ranch au Texas!
non?

un vieux yacht d'Onassis! trois chevaux de course!
non?

moi, Gondulf Bertrand, j'ai gagné à ce concours!
quoi?

dix paquets de Pex!
Claire Bretécher

Eh ! toi, le nouveau !

tu dois le respect aux anciens ! remonte-moi mes chaussettes !

s'il y a une chose que j'adore, c'est bien remonter les chaussettes des gens !

maintenant fais le tour de la cour à cloche-pied
oh! oui. oh! oui

j'adore sauter à cloche-pied
ah oui?

et manger de l'herbe, tu aimes?
mmm!

Claire Bretécher

mignonne allons voir si la rose, qui ce matin avait éclose ...

... sa robe de pourpre au soleil a point perdu cette vesprée les plis de sa robe pourprée et son teint au vôtre pareil.

las! voyez comme en peu d'espace mignonne, elle a dessus la place ...

las, laz! ses beautés laissé choir! ô vraiment marâtre nature...

... puisqu'une telle fleur ne dure que du matin jusque z'au soir

lors si vous m'en croyez, mignonne, tandis que votre âge fleuronne...

→

Claire Bretécher

j'ai comme la sensation d'avoir oublié quelque chose...

salut Emile !
salut Gondulf !

tu viens au foot avec moi ?
peux pas

Claire Bretécher

regarde ma panoplie !

ffffff !

t'as l'air malin avec ta panoplie !

elle n'est même pas en vrai cuir, ta panoplie

beuh ! tout du plastique !

tu es jaloux, voilà tout !
qui ? moi ? jaloux d'une moche panoplie ?

→

Claire Bretécher

tu peux me le rendre maintenant, s'il te plaît?
euh
je l'ai prêté à Oreste!
rends-le-moi!
ben

je l'ai passé à Pyrrhus!

il est à moi! rends-le moi!
bon

CHLUP

voilà
mémé a bien raison de dire que j'ai trop bon coeur...
j'ai bien failli perdre mon chouinegomme
claire bretécher

ben, qu'est-ce que tu fais ?
j'explore.

ah?
je suis au Tanganyika, dans la brousse !

j'abats les lianes à coups de machette... mais...

...un lion! je vois ses yeux jaunes! où est ma carabine?
âââ...

attention attention!
je vais tirer... BANG!

ouf! je l'ai eu!
bravo!

→

Claire Bretécher

tu pourras laver mon short, mémé !
J'ai vidé mes poches
Claire Bretécher

OCTOBRE 1986

FRANQUIN **Idées noires** (J'ai lu BD n° 1, noir, 3)

QUINO **Mafalda-1** (J'ai lu BD n° 2, couleur, 4)

LIBERATORE **RanXerox à New-York** (n° 3, couleur, 5)

BINET **Les Bidochon-1** (J'ai lu BD n° 4, noir, 3)

CLAIRE BRETÉCHER **Les Gnangnan** (J'ai lu BD n° 5, noir, 2)

SERRE **Les meilleurs dessins** (n° 6, n. et c., 5)

JANVIER 1987

MARTIN VEYRON **L'amour propre** (J'ai lu BD n° 7, coul., 5)

GOTLIB **Pervers Pépère** (J'ai lu BD n° 8, noir, 3)

TABARY **L'enfance d'Iznogoud** (J'ai lu BD n° 9, c., 5)

MORDILLO **Les meilleurs dessins** (n° 10, n. et c., 5)

et bientôt Pétillon, Barbe, H. Pratt, Les Grandes Gueules ...

Imprimé par Brodard et Taupin à La Flèche
le 26 septembre 1986 - 6738-5
Dépôt légal septembre 1986. ISBN 2-277-33005-1
Imprimé en France

J'ai lu BD / Editions J'ai lu
27, rue Cassette 75006 Paris
Diffusion France et étranger : Flammarion